http://
WWW
enter
?
@
&
#
X

LITERATURASM•COM

Gerencia editorial: Gabriel Brandariz
Traducción y coordinación editorial: Patrycja Jurkowska

Publicado por primera vez en Francia
por La Martinière Jeunesse, una división de La Martinière Group (París).

Título original: *Papa est connecté*
Texto e ilustraciones: Philippe de Kemmeter

Impresores, 2 - Parque Empresarial Prado del Espino
28660 Boadilla del Monte (Madrid)
www.grupo-sm.com

ATENCIÓN AL CLIENTE
Tel.: 902 121 323 / 912 080 403
e-mail: clientes@grupo-sm.com

ISBN: 978-84-675-9179-8
Depósito legal: M-2283-2017
Impreso en la UE / *Printed in EU*

Philippe de Kemmeter

Papá está conectado

El pingüino del ordenador es mi papá.

Nada más levantarse, papá se pone a leer el periódico digital,
consulta el tiempo en internet y se pasa el día hablando con sus amigos virtuales.
Últimamente, mamá está un poco enfadada con él.

Papá tiene 532 amigos en Icebook.
–Mira, fíjate en mi nuevo amigo.
Este verano ha estado de vacaciones
en el polo Norte. ¡Qué suerte!
–¿Dónde está el polo Norte, papá?

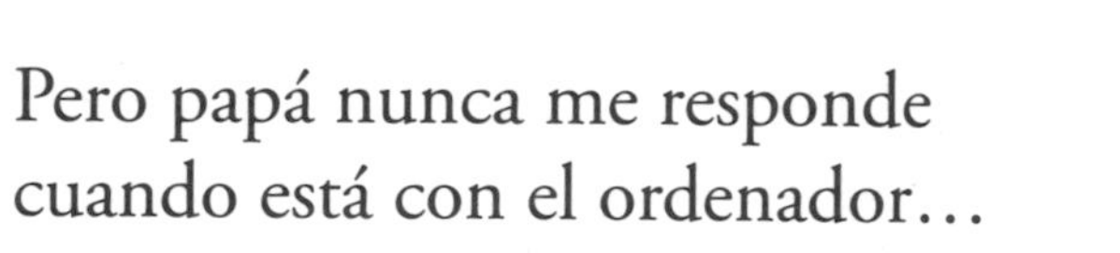

Pero papá nunca me responde
cuando está con el ordenador…

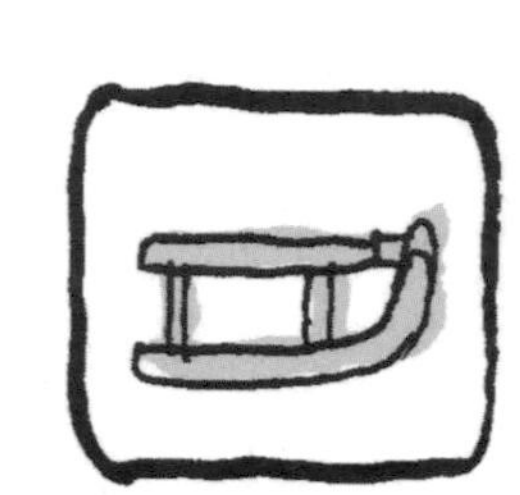

OSO POLAROSO

OJOS FRÍOS

RAP-ALETAS

PICO VELOZ

ROMPEHIELOS

CONGELADOR

TÍMIDO

P-INCÓGNITO

GLUPGLUP 65

ICEBERG

CAPITÁN IGLÚ

PIS-CIS

CUBITÓN

CONGELA2

BANQUISTA

PINGÜIJERAS

MANOPLAS

PEZACIUS

GLACIAR

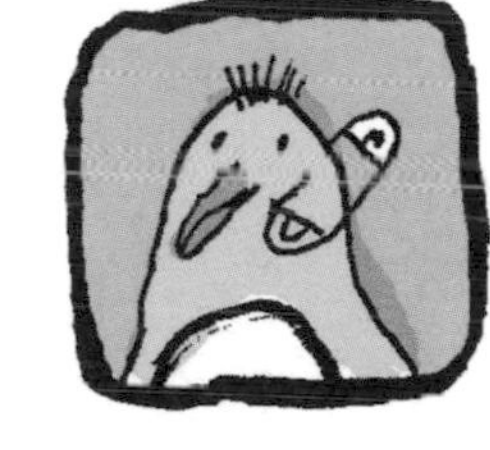

PUNKGÜINO

FRIGOCESA

Estos son algunos
de los amigos virtuales de papá.

Por la tarde, papá sigue conectado.

Yo creo que papá solo desconecta por la noche.
Aunque…

Después de desayunar,
papá se va a trabajar
y hacemos parte del camino
los dos juntos.

Cuando vuelve a casa, papá solo piensa
en una cosa: navegar con su ordenador.

Hace mucho que no disfruto de un papá de verdad.
Mamá ya no aguanta más. :-(

De hecho, tengo
un papá virtual.

Afortunadamente, juego con unos niños muy simpáticos de mi barrio.

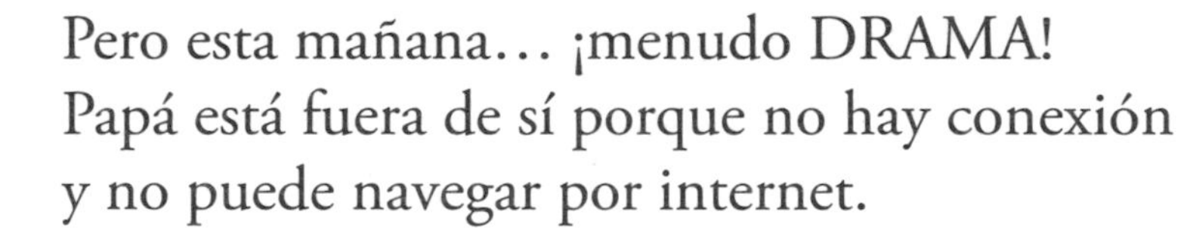

Pero esta mañana… ¡menudo DRAMA!
Papá está fuera de sí porque no hay conexión
y no puede navegar por internet.

Papá se pasea con el ordenador
de un lado a otro del iglú. Pero nada.
Hace lo mismo afuera, en la nieve…
Pero nada de nada.

Mamá está muy asombrada
de verlo en semejante estado.
Yo creo que en el fondo se alegra
de que papá no tenga conexión…

Para poder conectarse,
papá se aleja cada vez más de casa.
Así que mamá y yo decidimos seguirlo.

De repente se oye un tremendo crujido,
el crujido del hielo que se desprende de la banquisa.

¡Y es papá el que va a la deriva!

En circunstancias normales,
papá habría saltado al agua sin dudarlo.
¡Pero no quiere abandonar su ordenador!

La noche es fría en la banquisa, pero los vecinos
nos dan todo su apoyo. ¡Y nos ayudan a entrar en calor!
Aun así, mamá y yo estamos muy preocupados.

Al amanecer, tiritamos de frío y de angustia.
Y de repente, entre la niebla… ¡¡¡aparece papá!!!

Va sobre un trozo de banquisa que empuja un oso polar.
Y está congelado.

Os presento al oso Sito,
mi nuevo amigo... ¡no virtual!

¡Hola!

De vuelta en casa,
la cara de papá no puede ser más graciosa.
¡Su ordenador ya no funciona!
–Venga, ¡salgamos afuera!
–nos dice a mamá y a mí.

Y entonces papá empieza a jugar conmigo…
¡más feliz que nunca!
Gracias a su ordenador,
ha vuelto a conectar con la realidad.

Y, por una vez,
el ordenador es útil para toda la familia.

El móvil de papá
también podría servir...
El descenso en portátil
está muy de moda aquí,
y tardará en desaparecer.
Además, se puede practicar
sin conexión…
ICE

skip
intro